Renate Welsh

Das Vamperl

Renate Welsh lebt als freie Schriftstellerin in Wien. Sie hat viele engagierte Kinder- und Jugendbücher geschrieben, für die sie neben zahlreichen anderen Auszeichnungen mehrfach den Österreichischen Staatspreis, den Preis der Stadt Wien und den Deutschen Jugendliteraturpreis erhielt. Ihr Gesamtwerk wurde 1995 mit dem Österreichischen Würdigungspreis und 2006 mit dem Literatur-Würdigungspreis des Landes Niederösterreich ausgezeichnet. Mehr vom Vamperl und Frau Lizzi ist nachzulesen in den <u>dtv</u> junior-Bänden ›Vamperl soll nicht alleine bleiben‹, ›Wiedersehen mit Vamperl‹ und ›Ohne Vamperl geht es nicht‹.

© Jacqueline Godany

Weitere Titel von Renate Welsh bei <u>dtv</u> junior: siehe Seite 4

Heribert Schulmeyer wurde 1954 in Köln geboren. Er studierte an der ehemaligen Kölner Werkschule im Fachbereich Illustration und Freie Grafik und lebt heute als freier Illustrator in Köln.

© privat

Renate Welsh

Das Vamperl

Mit Illustrationen von Heribert Schulmeyer

Deutscher Taschenbuch Verlag

Zu diesem Band gibt es ein Unterrichtsmodell
unter www.dtv.de/lehrer zum kostenlosen Download.

Eine Hörbuch-Ausgabe ist bei Der Hörverlag, München
erschienen.

Von Renate Welsh sind außerdem bei dtv junior lieferbar:
Vamperl soll nicht alleine bleiben
Wiedersehen mit Vamperl
Das große Buch vom Vamperl
Ohne Vamperl geht es nicht
Drachenflügel

Das gesamte lieferbare Programm von dtv junior
und viele andere Informationen finden sich unter
www.dtvjunior.de

Originalausgabe
39. Auflage 2014
© für den Text: 1981 Deutscher Taschenbuch Verlag
GmbH & Co. KG, München
© für die Illustrationen: 1998 Deutscher Taschenbuch
Verlag GmbH & Co. KG, München
Umschlagkonzept: Balk & Brumshagen
Umschlagbild: Heribert Schulmeyer
Gesetzt aus der Trump 14/16
Gesamtherstellung: Kösel, Krugzell
Printed in Germany · ISBN 978-3-423-07562-6

Inhalt

Ein Spinnennetz voll Überraschung

Frau Lizzi war nach dem Taufschein siebenundsechzig Jahre alt. Aber sie fühlte sich nicht wie siebenundsechzig. »Nur in den Gelenken«, sagte sie manchmal. »Da fühle ich mich wie siebenundneunzig. Besonders, wenn das Wetter umschlägt. Aber sonst nicht. Die Zeit zwischen zwei Geburtstagen ist ja auch viel zu kurz. Wie soll man sich so schnell daran gewöhnen, dass man wieder ein Jahr älter ist?«

Wegen der Gelenke war Frau Lizzi zur Kur gewesen.

Jetzt ging sie die Treppe hinauf. In einer Hand trug sie die Reisetasche, in der anderen einen kleinen Koffer.

»Die Treppe ist auch nicht niedriger geworden«, seufzte sie. Sie sperrte die Wohnungstür auf, stellte ihr Gepäck ab und riss die Fenster auf.

Dann sah sie sich um. Überall lag Staub. Der Staub von drei Wochen. Frau Lizzi krempelte die Ärmel hoch. Sie begann die Wohnung sauber zu machen. Während sie arbeitete, sang sie:

»In düstrer Waldesschlucht und alten Mauern,
Wo Füchse schleichen und der Uhu krächzt,
Da überkommt dich, Freund, ein kaltes Schauern,
Weil der Vampir nach deinem Blute lechzt.

Die schöne Adelheid von siebzehn Jahren
Ging einstens hin zum Walde ganz allein.
Es war ihr Liebster in die Welt gefahren,
Sie wollt ihm eine Abschiedsträne weih'n.

Da hört' sie plötzlich eine Stimme sagen:
»Warum, o Mädchen, bist du so allein?
Ach, würde doch dein Herz für mich nur schlagen!
Du solltest eine Königin mir sein.

Ich würde dich in Samt und Seide kleiden,
mit Zuckerbrot und Wein dein Herz erfreun.
Und nie und nimmer würd ich von dir scheiden,
wollt'st du mein Weib und meine Herrin sein!«

Die schöne Adelheid, sie lauscht dem Werben.
Ach, Adelheid, wie ist dein Mund so rot!
Noch eh die Sonne sinket, musst du sterben,
liegst bleich und still im Moose und bist tot.«

Frau Lizzi sang gern bei der Arbeit.

Sie hatte Lieder für heiße Tage und Lieder für kalte Tage. Dieses war ein Lied für heiße Tage, weil es ihr dabei immer so kalt über den Rücken lief.

»Das hätten wir«, sagte Frau Lizzi. »Und jetzt koche ich mir einen guten Kaffee. Der im Kurheim war das reinste Abwaschwasser.«

Frau Lizzi redete oft mit sich selbst. Seitdem ihre Mutter vor fünfzehn Jahren gestorben war, lebte sie allein.

Während sie Wasser in die Kaffeemaschine füllte, wanderten ihre Blicke in der Küche herum. Da sah sie das Spinnennetz an der Decke.

»Also, das geht nicht«, sagte sie. »Nicht in meiner Küche! Es ist zwar ein besonders schönes Spinnennetz, aber hier hat es nichts zu suchen.«

Sie legte das Bodentuch um den Besen und holte das Spinnennetz herunter. Als sie das Bodentuch ausschütteln wollte, stutzte sie. »Nein!«, sagte sie. »Das gibt

es nicht. Das gibt es nicht, weil es nicht wahr sein kann. Und das, was nicht wahr sein kann, das gibt es nicht.«

Sie wischte sich den Schweiß von der Stirn. Sie putzte ihre Brille und setzte sie wieder auf.

Es stimmte doch.

Auf ihrem Bodentuch lag inmitten der Spinnweben ein winziger Vampir. Er schlief.

Frau Lizzi nahm das Bodentuch mit zwei Fingern und legte es auf die Kohlenkiste. Der Vampir schlief ruhig weiter.

Es klopfte an die Wohnungstür.

Draußen stand Frau Anna. Hinter ihr kam Flocki, ihr Foxterrier.

»Guten Abend, Frau Lizzi«, sagte Frau Anna. »Schön, dass Sie wieder da sind. Wie war die Kur? Hat sie Ihnen gutgetan?«

Flockis Nasenlöcher weiteten sich. Er drängte sich zwischen Frau Annas Beine, zog den Schwanz ein und begann zu jaulen.

Frau Lizzi stotterte: »Die Kur? Welche Kur? Ach, die Kur...«

Flocki heulte so laut, dass Frau Anna ohnehin kein Wort verstand. Sie bückte sich zu ihm, tätschelte ihn und sagte: »Flockileinchen, wer wird denn so dumm sein? Das ist doch die Frau Lizzi! Die dir immer die schönen Knochen schenkt. Du kennst doch die Frau Lizzi, Flocki!«

Flocki jaulte nur noch lauter. Frau Anna wurde ärgerlich, dann zornig. »Wirst du sofort aufhören, du Mistvieh!«

Als auch das nichts half, hob sie drohend die Hand. »Blöder Hund! Du bekommst gleich...«

»Nein!«, sagte Frau Lizzi. »Nicht schlagen! Der Flocki ist nicht dumm. Der Flocki ist sogar ein sehr kluger Hund.«

Sie ging zur Kohlenkiste.

»Da, sehen Sie selbst, Frau Anna!«

Frau Lizzi schlug die Zipfel des Bodentuches auseinander.

Frau Anna schrie auf.

Flocki scharrte wie verrückt an der Wohnungstür und jaulte, bellte und winselte dabei.

»Also, ich muss schon sagen...«, schrie Frau Anna.

»Lassen wir erst den Flocki hinaus!«, schrie Frau Lizzi. »Sonst wird noch das ganze Haus verrückt von dem Krach!«

Frau Anna sperrte Flocki in ihrer Wohnung ein. Dann kam sie zurück und stellte sich mit verschränkten Armen vor die Tür.

»Das ist doch ein Vampir!«, sagte sie streng.

»Genau das habe ich auch gedacht«, sagte Frau Lizzi.

»Und was machen wir jetzt?«

»Das weiß ich eben noch nicht!«

Der kleine Vampir nuckelte an seinem Vampirdaumen.

Frau Anna schüttelte sich. »Werfen wir ihn ins Klo! Und fest nachspülen!« Sie wollte nach dem Tuch greifen.

Frau Lizzi fiel ihr in den Arm. »Nein, also das nicht! Er ist doch noch so winzig.«

Frau Anna musterte Frau Lizzi von oben bis unten. Dann schüttelte sie den Kopf. »Dann werfen Sie ihn eben in den Müll, wenn Sie schon ein so weiches Herz haben. Aber beeilen Sie sich, die Müllabfuhr kommt gleich. Und ich würde ihn nicht hineinwerfen, wenn die Tonne leer ist. Man kann nie wissen. Am Ende klettert er wieder heraus.«

»Nein«, sagte da Frau Lizzi. »Das wäre

nicht recht. Was kann denn ein Vampir dafür, dass er ein Vampir ist? Zuerst bin ich ja auch erschrocken. Aber sehen Sie sich doch nur seine winzigen Hände an!«

Frau Anna wollte weder die winzigen Hände noch sonst etwas sehen. »Ich bitte Sie, Frau Lizzi! Ein Vampir in unserem Haus! Nicht auszudenken ist das. Stellen Sie sich nur vor: Sie schlafen und er kommt und saugt Ihnen das Blut aus – bis auf den letzten Tropfen. Wenn Sie aufwachen, sind Sie längst tot!«

Je mehr Frau Anna auf sie einredete, umso entschlossener wurde Frau Lizzi, den kleinen Vampir weder in die Mülltonne noch in das Klo zu werfen. Es tat ihr leid, dass sie überhaupt etwas gesagt hatte. Sie dachte nur noch daran, wie sie ihre Nachbarin loswerden könnte.

»Ich mache es für Sie«, bot Frau Anna an. »Die Spinnen muss auch immer ich wegtun, weil es meinem Mann so

graust. Sie können das doch gar nicht verantworten. Wenn Sie schon nicht an sich denken, dann wenigstens an die anderen Mieter! Außerdem sind Sie doch so beliebt im ganzen Haus. Es wäre uns allen leid um Sie. Und die Kränze sind furchtbar teuer um diese Jahreszeit.«

Frau Lizzi warf einen Blick auf den kleinen Vampir. Er verzog im Schlaf die Schnauze. Es sah fast aus, als lächelte er.

»Wenn Sie mich jetzt entschuldigen, Frau Anna«, sagte sie. »Ich bin müde von der Reise. Der Arzt hat gesagt, ich muss mich unbedingt hinlegen, wenn ich müde bin.«

Frau Anna ging kopfschüttelnd weg.

Sie war überzeugt davon, dass Frau Lizzi nicht mehr richtig im Kopf sein konnte. Sie holte Flocki, der immer noch winselte, und drehte mit ihm eine Runde. Dann fasste sie einen Entschluss. Sie klingelte an der Wohnungstür ihrer anderen Nachbarin, der Frau Maringer.

Frau Lizzi hatte inzwischen scharf nachgedacht.

Der Vampir, hatte sie gedacht, ist ja noch winzig. Der weiß noch nicht, wie Blut schmeckt. Wenn ich ihn mit Milch aufziehe, kommt er erst gar nicht auf den Geschmack. Meine Großmutter selig hat schon immer gesagt: Wie man in den Wald ruft, so schallt es zurück.

Frau Lizzi deckte den kleinen Vampir mit einem Taschentuch zu, lief hinunter und kaufte eine Flasche Milch. Dann kaufte sie in der Spielzeughandlung eine Puppenflasche.

Daheim wärmte sie die Milch mit etwas Zucker und füllte sie in die Puppenflasche.

Der kleine Vampir wachte eben auf.

Sein spitzes Mäulchen verzog sich. Er fiepte leise.

Frau Lizzi nahm ihn behutsam in die linke Hand. Mit der rechten steckte sie ihm den Sauger in den Mund.

Der kleine Vampir schluckte und lä-

chelte und schluckte und lächelte. So
oft er schluckte, strampelte er mit seinen dünnen, haarigen Beinchen. Das
kitzelte Frau Lizzi in der Hand.

Als die Flasche leer war, rülpste der
kleine Vampir. Dann rollte er sich in
Frau Lizzis Hand zusammen und
schlief wieder ein.

Sie überlegte, wie sie ihm ein Bettchen
machen konnte.

Sie nahm die Silberkette aus der
Schmuckschachtel und legte den klei-
nen Vampir auf die himmelblaue Watte.
Sie deckte ihn mit dem Taschentuch zu
und stellte ihn auf das Fensterbrett im
Zimmer, wo die Sonne hinfiel.

Keine Ruhe zum Kaffee

Frau Lizzi freute sich auf ihren Kaffee. Sie nahm eine Tasse aus dem Schrank und stellte die Zuckerdose auf den Küchentisch. In diesem Augenblick klopfte es.

Frau Anna und Frau Maringer kamen herein.

»Ich habe Kaffee gekocht«, sagte Frau Lizzi. »Wollen Sie einen Schluck mit mir trinken?«

Frau Anna und Frau Maringer blickten einander an.

»Nein, danke«, sagte Frau Maringer streng. »Wir müssen mit Ihnen reden.«

»Bitte sehr«, sagte Frau Lizzi. Sie bot den beiden Damen Stühle an.

Frau Anna wollte sich schon setzen, aber Frau Maringer schüttelte den Kopf. Da richtete sich auch Frau Anna wieder auf.

»Sie kennen doch die Hausordnung?«, fragte Frau Maringer.

»Natürlich kenne ich sie«, sagte Frau Lizzi. »Wenn es um den Kellerschlüssel geht, den habe ich vor meiner Abfahrt...«

Frau Anna unterbrach sie: »Es geht nicht um den Kellerschlüssel.« Frau Maringer räusperte sich. Frau Anna verstummte.

»Sie wissen doch, dass das Halten von Haustieren ohne ausdrückliche Genehmigung des Hausbesitzers verboten ist?«, fragte Frau Maringer.

»Natürlich«, sagte Frau Lizzi.

»Ebenso wie jegliche Gefährdung anderer Hausbewohner strengstens untersagt ist«, fuhr Frau Maringer fort.

»Selbstverständlich«, sagte da Frau Lizzi. »Verzeihung, ich muss nur die Tür zumachen. Es zieht hier so.« Sie schloss die Tür zum Zimmer. Fang bloß nicht an zu fiepen, dachte sie. Sie atmete tief ein. »Wenn es um das Tier geht«, begann sie, »können Sie ganz beruhigt sein.«

Frau Anna seufzte erleichtert auf. Sie wandte sich an Frau Maringer: »Sehen

Sie? Ich war ja gleich dagegen, zur Polizei zu gehen. Aber Sie müssen ja immer mit großem Geschütz auffahren.«

Frau Maringer runzelte die Stirn. »Wieso ich? Sie haben gesagt, dass Sie kein Auge zutun werden!«

Die beiden musterten einander giftig.

Frau Maringer tappte ungeduldig mit dem Fuß. Dann sagte sie: »Übrigens hat Ihr lieber Flocki erst unlängst wieder vor meiner Tür... Sie wissen schon!«

»Mein Flocki!«, rief Frau Anna entrüstet. »Passen Sie doch besser auf Ihren Bello auf! Erst neulich hat er meinen Flocki angeknurrt und angefletscht, dass der Arme vor Schreck drei Stufen hinuntergefallen ist. Ich musste mit ihm zum Tierarzt gehen!«

Die beiden Frauen kamen immer mehr in Fahrt.

Erst als Frau Lizzi sie zu beruhigen versuchte, wandten sie sich wieder an sie.

»Es war ja auch Ihretwegen, Frau Lizzi«,

sagte Frau Anna. »Weil es doch schade wäre um Sie. Sie nehmen es uns doch nicht übel, nicht wahr?«

Frau Maringer trat einen Schritt vor. »Was ich noch fragen wollte: Wie haben Sie denn – die Angelegenheit erledigt, Frau Lizzi?«

Frau Lizzi war nahe daran, sie hinauszuwerfen.

Dann überlegte sie: Das bringt doch nur neuen Ärger.

Frau Maringer blickte erwartungsvoll.

»Jetzt ist aber Schluss!«, sagte Frau Anna. »Sie merken doch, wie Sie die Frau Lizzi quälen. Hauptsache, sie hat es getan. Ist doch egal, ob sie ihn ins Klo geworfen hat oder in den Müll, ob sie ihn zertreten oder...«

»Das ist ganz und gar nicht egal, meine gute Frau Anna! Aus der Mülltonne hätte er wieder herauskriechen können. Man wäre seines Lebens nicht mehr sicher!« Frau Maringer ging einen Schritt näher zu Frau Lizzi und sah ihr tief in die Augen. »Sagen Sie mir ehrlich: Haben Sie ihn in den Mülleimer geworfen?«

»Nein«, sagte Frau Lizzi.

Und das war die reine Wahrheit.

Endlich gingen die beiden.

Frau Lizzi öffnete die Zimmertür wieder.

Der kleine Vampir hatte das Taschentuch fortgestrampelt. Frau Lizzi hoffte, dass er sich nicht verkühlt hatte. Die Sonne schien schon lange nicht mehr auf das Fensterbrett.

Die spitze Vampirschnauze begann sich zu bewegen.

Die haarigen Beine begannen zu strampeln.

Die haarigen Arme begannen zu rudern.

Dann fiepte der Vampir. Das Fiepen war nicht laut, aber es war durchdringend.

Frau Lizzi rannte in die Küche und füllte Milch in die Puppenflasche. Sie steckte dem Vampir den Sauger in den Mund.

»Sei still! Sei um Himmels willen still!
Das ist wichtig, verstehst du? Du musst
es ganz einfach verstehen! Auch wenn
du es nicht verstehen kannst.«
Sie wiegte den kleinen Vampir hin und
her.
»Dass ich die beiden angelogen habe,
das tut mir gar nicht leid. Die sind
selbst schuld. Solche wie die muss man
anlügen. Weißt du, Kleiner, ich bin ja
auch ganz schön erschrocken. Man ist

eben nicht gefasst auf einen wie dich. Aber wir schaffen das schon, wir zwei. Ich bitte dich nur um alles in der Welt, sei still, wenn jemand da ist. Es darf dich keiner hören. Und erst recht keiner sehen. Die Leute haben keinen Sinn für eine Vampirschönheit, verstehst du? Denn schön finden sie nur, was ihnen ähnlich sieht.«

Frau Lizzi wusste genau, dass der kleine Vampir sie nicht verstehen konnte. Trotzdem redete sie mit ihm.

Wer weiß, dachte sie, vielleicht lernt er es mit der Zeit. Menschenkinder verstehen ja am Anfang auch kein Wort und freuen sich trotzdem, wenn man mit ihnen spricht.

Sie zerschnitt ein altes Taschentuch zu winzigen Windeln für den kleinen Vampir. Sie gab ihm die Flasche.

Als er wieder in seinem himmelblauen Wattebett lag und schlief, wollte sie endlich ihren Kaffee trinken.

Der Kaffee war kalt.

Das störte sie nicht weiter. Kalter Kaffee macht angeblich schön. Aber es störte sie, dass die Milch eine Haut hatte. Sie hasste Haut auf der Milch.

»Weil sich diese beiden auch immer in anderer Leute Angelegenheit einmischen«, schimpfte sie.

Sie fischte die Haut aus dem Milchtopf.

»Pfui Teufel!«, sagte sie. Dabei schüttelte sie den letzten Rest schlechten Gewissens darüber ab, dass sie gelogen hatte.

Haut auf der Milch! Das ging zu weit.

Vom Fliegenlernen und anderen Künsten

Der Vampir wuchs schnell.
Nach einer Woche war die Schmuckschachtel zu klein für ihn.
Nach zwei Wochen war die Knopfschachtel zu klein für ihn.
Frau Lizzi strickte eine bunte Decke aus Wollresten und richtete ihm ein Bett im Nähkorb ein.
Er hielt jetzt selbst seine Flasche beim Trinken.
Er benutzte die Kiste mit Sägespänen, die Frau Lizzi für ihn ins Klo gestellt hatte.
Er legte den Kopf schief, wenn sie mit ihm redete. Er hörte zu. Manchmal fiepte er leise und das klang wie eine Antwort.
Frau Lizzi ließ jetzt immer das Radio laufen.

»Sicher ist sicher«, sagte sie. »Wenn die Nachbarn am Ende doch etwas hören, kann ich immer sagen: Es war das Radio.«

Beim Einkaufen beeilte sie sich. Sie hatte Angst, der Vampir könnte etwas anstellen.

Die Milchfrau, der Gemüsemann, der Metzger und der Zeitungsverkäufer wunderten sich, dass Frau Lizzi nie mehr Zeit zum Plaudern hatte.

Der kleine Vampir saß gern auf dem Fensterbrett und guckte hinaus auf die Straße.

Er kletterte an den Vorhängen hoch und schaukelte an der Vorhangschnur.

Er saß auf Frau Lizzis Schulter, wenn sie kochte.

Manchmal fiepte er ihr ins Ohr. Das kitzelte.

Einmal kitzelte es so sehr, dass sie den Kochlöffel in die Tomatensuppe fallen ließ. Danach waren Frau Lizzi und der

kleine Vampir über und über voll mit
roten Tupfen. Es sah aus, als hätten sie
Masern. Oder Scharlach.

In der dritten Woche machte der Vampir seine ersten Flugversuche. Er kletterte auf den Küchenstuhl.

Er breitete die großen, dünnen Flügel
aus. Das knisterte wie Seidenpapier.

Er flappte ein paarmal mit den Flügeln.
Dann sprang er los.

Im Fallen vergaß er, mit den Flügeln zu
schlagen, und landete auf dem Bauch.

Er fiepte kläglich.

Frau Lizzi kam aus dem Zimmer gelaufen. Sie hob ihn auf. Sie streichelte und tröstete ihn.

Sie tastete seine Arme und Beine ab.

»Gebrochen ist nichts«, sagte sie erleichtert. Sie kochte ihm zur Beruhigung einen Kamillentee.

Der Vampir mochte keinen Kamillentee. Er blies ihn aus seiner spitzen Schnauze. Frau Lizzis Brillengläser wurden angesprüht und hätten Scheibenwischer gebraucht.

»Marsch ins Bett!«, schimpfte sie. Sie trug ihn ins Zimmer und ging in die Küche zurück, wo inzwischen die Milch übergekocht war. Fünf Minuten später machte er seinen zweiten Flugversuch. Diesmal startete er vom Fensterbrett. Und diesmal ging es viel besser.

Als Frau Lizzi wieder hereinkam, flog er ihr auf den Kopf. Sie erschrak furchtbar und schrie auf. Der kleine Vampir zauste ihr zärtlich die Haare.

An einem Sonntagmorgen hörte Frau

Lizzi Geschrei im Treppenhaus. »Um Himmels willen, was ist denn da passiert?«, fragte sie und riss die Wohnungstür auf.

Im dritten Stock schimpfte Frau Müller mit ihrem Sohn Hannes.

Er war bei seiner Großmutter gewesen und hatte von ihr einen Korb Äpfel geholt. Auf dem Heimweg war er am Spielplatz vorbeigekommen. Dort spielten seine Freunde Fußball.

»Hannes!«, riefen sie. »Die führen schon drei zu eins! Komm!«

Hannes stellte den Korb hin und spielte mit. Dass er seine Sonntagshose anhatte, fiel ihm überhaupt nicht ein.

Jetzt waren ein Loch in der Hose und ein großer Grasfleck.

»Da komm her!«, schrie Frau Müller. »Und hol dir deine Ohrfeigen! Die hast du redlich verdient. Wie oft habe ich dir schon gesagt, dass du auf deine Sachen aufpassen sollst? Du glaubst wohl, dass das Geld auf den Bäumen wächst?

Gleich wirst du sehen, was auf den Bäumen wächst!«

Hannes fing an zu weinen. Der Korb fiel um. Äpfel kullerten laut polternd über die Treppe.

»Dir werde ich noch Grund zum Heulen geben! Herkommen, habe ich gesagt!« Frau Müller holte aus.

Frau Lizzi wollte sie daran erinnern, dass Kinder an andere Dinge denken als Erwachsene. Und dass Hannes nichts Böses im Sinn gehabt hatte.

Aber als sie den Mund aufmachte, huschte der Vampir an ihr vorbei. Jetzt ging alles blitzschnell.

Der Vampir turnte am Treppengeländer entlang hinauf in den dritten Stock. Er flatterte hinter Hannes vorbei. Er flog direkt auf Frau Müller zu, auf ihren Bauch.

Frau Lizzi wurde schlecht vor Angst.

Sie schloss die Augen.

Sie wollte nicht sehen, was jetzt kommen musste.

»Au! Da hat mich etwas gestochen!«, rief Frau Müller. »Gibt es denn Wespen bei uns im Haus?«

Frau Lizzi blinzelte.

Sie sah, dass der Vampir flügelschlagend vor Frau Müllers Bauch in der Luft stand. Vor ihrer Galle.

Wo die Galle war, wusste Frau Lizzi

ganz genau. Sie war vor einem Jahr an der Gallenblase operiert worden.

Jetzt zog der Vampir seine spitze Schnauze aus Frau Müllers Galle. Frau Müllers Arm fiel herab.

Der Vampir machte eine Kehrtwendung. Er flatterte zurück in Frau Lizzis Wohnung.

Frau Müller fuhr Hannes durch die Haare. »Weißt du, wie du aussiehst? Wie der Tormann nach einem Länderspiel im Regen!«

Hannes starrte seine Mutter mit offenem Mund an.

Sie lächelte. »Wer hat eigentlich gewonnen?«

»Ge-wie, ge-wo, ge-was?«

»Gewonnen, beim Fußball natürlich«, sagte seine Mutter. »Wo sonst? Was ist denn los mit dir, bist du krank?«

Hannes machte langsam den Mund zu. Er schüttelte sich die Haare aus der Stirn.

»Wir haben gewonnen!«, sagte er. »Und

das letzte Tor habe ich geschossen. Im Alleingang!«

Hannes streckte die Brust heraus und steckte beide Daumen in die Hosentaschen.

Frau Müller legte ihm den Arm um die Schulter. Die beiden gingen in die Wohnung zurück. Die Müllertür fiel zu.

Auch Frau Lizzi ging in ihre Wohnung zurück. Sie merkte erst jetzt so richtig, wie sehr ihr die Knie zitterten. Sie musste sich setzen. Der kleine Vampir flatterte auf ihren Schoß.

»Du bist ja gar kein Vampir«, sagte sie. »Ein Vampir saugt den Menschen das Blut aus. Aber du, du saugst ihnen ja das Bössein aus! Weißt du, was du bist? Ein Vamperl bist du, ein liebes.«

Er hüpfte auf ihrem Knie auf und ab.

»Aber der Schreck, den du mir eingejagt hast!«, sagte sie. »Ich habe geglaubt, das Herz bleibt mir stehen vor Angst.«

Der kleine Vampir schmiegte sich an sie. »Ich möchte nur wissen, wie das geht«, murmelte sie.

Vamperl strich sich mit beiden Händen über den kleinen, dicken Bauch und schmatzte. »Ja, natürlich! Du hast ihr das Gift aus der Galle gesaugt und da hat sie plötzlich verstanden, dass es nicht halb so schlimm war. Stimmt's?«

Vamperl nickte eifrig. Er schlug ein paar Purzelbäume.

Frau Lizzi erinnerte sich, wie verdutzt Hannes dreingeschaut hatte. »Der hat einfach nicht glauben können, dass seine Mutter plötzlich so freundlich war!« Sie lachte.

Dann wurde sie ernst. »Aber was wäre, wenn sie dich gesehen hätte? Du musst aufpassen, mein Kleiner. Du musst sehr aufpassen. Weißt du, Vamperl, wenn die Leute Angst bekommen, dann wissen sie nicht mehr, was sie tun.«

Vamperl rieb seine kleine, spitze Vam-

pirnase an ihrer großen, runden Men-
schennase.

»Wenn ich so denke«, sagte Frau Lizzi.
»Wenn ich so denke, wie vielen Leuten man das Gift aus der Galle saugen
müsste...«

Vamperl fiepte ihr zustimmend und
glücklich ins Ohr. An diesem Abend
sang Frau Lizzi ihrem Vamperl ein Lied
vor:

»Ja – so ein Vampir
ist kein böses Tier!
Muss es nicht sein,
wenn er von klein
auf Liebe spürt.

Mein Vamperl trinkt nur Milch und mag kein Blut
und macht die bösen Leute alle wieder gut.
Wenn einer tobt und schreit, was er kann,
dann flitzt mein Vamperl lautlos heran,
saugt ihm ein bisschen Gift aus der Gall –
erledigt der Fall!
Mein Vamperl trinkt nur Milch und mag kein Blut
und macht die bösen Leute alle wieder gut.«

Vamperl unterwegs

Zwei Tage später musste Frau Lizzi wieder einmal einkaufen gehen. Sie schleppte schwer an der großen Tasche, in der Nahrungsmittel für eine ganze Woche waren.

Auf der niedrigen Mauer vor dem Park stellte sie die Tasche ab, um kurz zu verschnaufen.

Im Park standen mehrere Kinder im Kreis um einen Jungen. Frau Lizzi kannte ihn. Er wohnte bei seiner Großmutter. Er war der schlechteste Schüler der Klasse und ging immer ein wenig gebückt.

Unter den anderen Kindern erkannte Frau Lizzi Hannes, Klaus und Karin.

Die Kinder sangen:

»Ri-ra-rum,
der Dieter, der ist dumm.
Ru-ro-rümmer,
der Dieter ist noch dümmer.
Der Dieter ist der Dümmste hier,
viel dümmer als ein Trampeltier.

Ri-ra-rum,
Der Dieter, der ist krumm.
Ru-ro-rümmer,
der Dieter ist noch krümmer.
Der Dieter ist der Krummste hier,
viel krummer als ein Trampeltier.«

Dazu lachten sie.

Dieter stand in der Mitte und machte sich ganz klein.

»Was bist du?«, fragte Klaus.

Dieter zog die Schultern hoch und den Hals ein. Jetzt sah er wirklich krumm aus.

»Dumm bist du!«, riefen alle.

Frau Lizzi überlegte: ›Soll ich etwas sagen? Oder mache ich es dann nur noch schlimmer für den armen Kerl?‹

Jetzt fragte Karin: »Was ist er?«

Alle riefen im Chor: »Krumm ist er!«

Plötzlich quietschte Klaus auf. Aber nur
ganz kurz.

Karin zeigte mit dem Finger auf Dieter
und fragte wieder: »Was ist er?«

Bevor die anderen noch antworten
konnten, rief Klaus: »Er ist nicht
dumm! Dumm sind wir!«

»Klaus ist übergeschnappt«, sagte Karin. »Da muss sich was bei ihm gelockert haben.«

»Es ist gemein«, sagte Klaus, »wenn alle auf einen losgehen!«

»Den Dieter stört das nicht«, sagte Karin. »Der kapiert das doch gar nicht.«

»O doch«, sagte Hannes. »Er kapiert das sehr gut.«

Dieter sagte nichts.

Jetzt quietschte Karin.

Sie fuhr sich mit beiden Händen über die Augen. Dann ging sie auf Dieter zu. Er hob die Arme vor das Gesicht.

»Willst du heute Nachmittag zu mir kommen?«, fragte Karin. »Wir können miteinander Hausaufgaben machen.«

Dieter blinzelte hinter seinen Ellbogen hervor.

»Oder weißt du was, komm lieber gleich mit«, sagte Karin. »Es gibt Käsenudeln mit Salat. Du kannst ja deiner Großmutter Bescheid sagen.«

Dieter ließ langsam die Arme sinken.

»Meine Großmutter ist bei der Arbeit«, murmelte er.

»Dann können wir ja gehen.«

Karin hielt ihm die Hand hin. Dieter zögerte.

»Aber morgen kommst du zu mir«, sagte Klaus.

»Und übermorgen zu mir«, sagte Hannes.

Karin packte Dieter an der Hand. Er ließ sich von ihr wegführen.

Frau Lizzi rannte nach Hause, so schnell sie konnte.

Vamperl saß auf dem Fensterbrett und kaute sich die Nägel ab.

Er konnte es nicht leiden, wenn ihm Frau Lizzi die Nägel schnitt.

»Horch mal, Vamperl ...«

Er blickte sie so harmlos an, dass es sehr auffällig war.

»Ich habe dir doch gesagt, wie gefährlich es ist, wenn dich die Leute sehen«, schimpfte Frau Lizzi. »Wirst du es denn nie lernen?« Vamperl ließ den Kopf hängen.

Er verzog die Vampirschnauze zu einem traurigen Flunsch. Frau Lizzi seufzte.

»Ich finde es ja auch gut, wenn die Kinder dem armen Dieter helfen. Wirklich! Ich habe gerade überlegt, ob ich nicht etwas tun sollte, als ... als du kamst. Aber du weißt ja nicht, was unsere lieben Nachbarinnen mit dir machen wollten.« Sie streichelte mit einem Finger über die spitzen Vampirohren. »Flieg wenigstens nicht allein davon, warte, bis ich da bin. Sonst kann wer weiß was passieren!«

Frau Lizzi putzte sich die Nase.

»Ja, ja. In meinem Alter sollte man wirklich keine Kinder mehr haben. Auch keine Vampirkinder.«

Vamperl ließ eine dicke Träne in ihren Halsausschnitt fallen.

»Also das ist doch die Höhe! Jetzt muss ich dich auch noch trösten, weil du so unfolgsam bist«, sagte Frau Lizzi.

Gefahr!

Sosehr sich Frau Lizzi auch bemühte, Vamperl im Haus zu halten – es nützte nichts.

Kaum hörte er auf der Straße ein Hupkonzert, riss er aus.

Jeden Morgen verklemmten sich da unten Autos. Die Fahrer konnten nicht vor und nicht zurück. Sie schimpften und fluchten. Keiner wollte nachgeben. Da griff Vamperl ein.

Ein Stich – und schon saugte er einem wütenden Autofahrer das Gift aus der Galle. Ein zweiter Stich – und ein zweiter Autofahrer lächelte und wusste nicht, wie ihm geschah.

»Guten Morgen«, sagte der eine.

»Guten Morgen«, sagte der andere.

»Nach Ihnen«, sagte der eine.

»Aber bitte – fahren Sie doch zuerst«, sagte der andere.

Der Polizist an der Ecke hielt sein Notizbuch in der Hand und drehte es hin und her. Er steckte es wieder ein.

Die Ecke war früher die schlimmste in der ganzen Stadt gewesen. Mit den meisten Unfällen.

Jetzt fragte sich der Polizist manchmal, wozu er überhaupt da stand. Für solche Autofahrer brauchte man keine Ampel und keinen Polizisten. Das Chaos löste sich auf. Der Verkehrsstrom floss friedlich wie ein Bach durch die Wiese. Der Polizist musste nicht einmal die Kreuzung sperren, um die Schulkinder hinüberzulassen. Die Autofahrer hielten von selbst an. So schien es wenigstens dem Polizisten. Er wusste ja nicht, dass Vamperl dafür sorgte.

Frau Lizzi stand am Fenster und sah zu. Sie musste immer noch nach Luft schnappen, sooft er zustach.

Wenn er dann zurückkam und sah, wie sie sich sorgte, guckte er schuldbewusst. Er legte den Kopf zur Seite und schmiegte sich in ihre Halsgrube.

Aber beim nächsten Hupen war er wieder weg. Er zwängte sich durch die engsten Ritzen.

Langsam begann Frau Lizzi einzusehen, dass sie ihn nicht festhalten konnte. Sie schimpfte immer noch ein wenig, sooft er zurückkam. Schon ganz aus Gewohnheit. Gleichzeitig war sie stolz auf ihn.

Jeden Abend sang sie ihm das Lied vor, das sie sich für ihn ausgedacht hatte:

»Morgens schon in aller Frühe
wird mein Vamperl munter.
Flitzt wie ein geölter Blitz auf die Straße runter.
Wo die Leute schimpfen, streiten
wegen lauter Kleinigkeiten,
wo sie raufen, fluchen, schrein,
dort mischt sich mein Vamperl ein.
Mein Vamperl trinkt nur Milch und mag kein Blut
und macht die bösen Leute alle wieder gut.
Wenn die Autofahrer rasen und die Leute wie die Hasen
jagen auf den Zebrastreifen, wenn sie miteinander keifen
und sich an die Stirnen greifen,
wenn man ringsum gellend hört
schaurig laut ein Hupkonzert,
wenn jeder tobt und brüllt, was er kann –
dann flattert heimlich mein Vamperl heran,
saugt ihm ein bisschen Gift aus der Gall –
erledigt der Fall!
Da seht, wie es geht:
Die Streithähne fahren ganz friedlich weiter,
lachen und winken und grüßen sich heiter
und werden freundlich und wissen nicht wie
und sind zueinander nett wie noch nie.
Mein Vamperl trinkt nur Milch und mag kein Blut
und macht die bösen Leute alle wieder gut.«

Vamperl schlief erst ein, wenn sie das
Lied fertig gesungen hatte. Dann stand
sie noch eine Weile neben seinem Korb
und sah ihn an. Sie streichelte seinen

haarigen Kopf und seine haarigen Hände. Dann deckte sie ihn zu.

An einem sonnigen Nachmittag saß
Vamperl friedlich neben Frau Lizzi vor
dem offenen Fenster. Sooft jemand he-
raufguckte, versteckte er sich hinter
ihren dicken Armen.
»Was ist denn das für ein Finsterling?«,
fragte Frau Lizzi und zeigte auf einen
Mann, der die Straße hinauf- und hinab-
spähte, bevor er in das Haus gegenüber
schlich.

»Der führt nichts Gutes im Schilde, das sage ich dir.«

Sie schlug sich mit der Hand auf den Mund. Das hätte ich nicht sagen dürfen, dachte sie. Aber es war schon viel zu spät. Vamperl hatte sich aus dem Fenster gestürzt, war über die Straße geflattert und im Haus gegenüber verschwunden.

Frau Lizzi holte den Operngucker und hielt Wache.

Vamperl fand den fremden Mann im dritten Stock des Hauses gegenüber. Der Mann sperrte eben mit einem Nachschlüssel eine Wohnungstür auf. Vamperl wusste nicht, dass das ein Nachschlüssel war. Aber er roch das Gift in der Galle des fremden Mannes.

Er stach zu und fing an zu saugen.

Der Mann aber erwischte ihn am Flügel, noch bevor Vamperl genügend Gift herausgesaugt hatte. Mit letzter Kraft nahm er noch einen tiefen Schluck, dann musste er loslassen. Er kollerte die Treppe hinunter. Sein Flügel war eingerissen. Er schleppte sich zur Haustür. Auf der Stufe vor dem Haus fiel er um.

Frau Lizzi sah ihn fallen. Sie rannte hinunter. So schnell war sie seit Jahren nicht mehr gerannt.

Trotzdem kam sie hier fast zu spät. Denn Bello schnupperte schon an Vamperl und stieß ihn mit seiner Hundenase hin und her.

»Weg da!«, schrie Frau Lizzi.

Bello knurrte und schnappte nach Vamperl.

Frau Lizzi drängte Bello zur Seite, hob Vamperl auf und trug ihn nach Hause. Er rührte sich nicht.

Sie setzte sich in die Küche und hielt den kleinen Vampir im Schoß. Tränen rannen ihr über die Wangen. Eine fiel dem kleinen Vampir auf die Schnauze. Er zuckte, dann schleckte er die Träne ab. »Du lebst ja!«, rief Frau Lizzi. »Du lebst ja!«

Mit zittrigen Fingern untersuchte sie seinen Flügel. Als sie die Bruchstelle entdeckte, weinte sie wieder. Dann holte sie Zahnstocher und Leukoplast.

»Das wird dir gar nicht passen«, sagte sie. »Aber es muss sein. Du willst ja wieder fliegen können.«

Sie füllte einen Fingerhut voll Rum. »Trink das. Dann tut es nicht so weh, wenn ich dir den Flügel einrichte.«

Vamperl schüttelte sich, aber er trank.

Frau Lizzi schiente den Flügel mit fünf Zahnstochern und klebte sie mit Leukoplast fest.

Frau Lizzi konnte nicht wissen, was inzwischen im Haus gegenüber geschah. Der Mann, den sie gesehen hatte, stand in der fremden Wohnung und wusste nicht mehr, warum er hierhergekommen war.

Die Wohnung gehörte einer alten Frau. Die alte Frau rief aus dem Schlafzimmer: »Ist da jemand?«

»Ja, ich«, antwortete er, ohne zu denken.

»Und was wollen Sie hier?«, fragte die alte Frau.

»Also, eigentlich wollte ich Ihr Geld«, sagte er. »Oder Ihren Schmuck. Aber jetzt habe ich keine Lust mehr, Sie zu bestehlen. Ich weiß gar nicht, wieso.«

»Sie sind ja ein Dieb«, sagte die alte Frau. »Sie sollten sich schämen.«

»Ich habe mich so lange nicht mehr geschämt, ich weiß nicht, ob ich das noch kann«, sagte er. »Aber ich werde es versuchen«.

»Wissen Sie was«, sagte die alte Frau, »wenn Sie schon da sind, könnten Sie

für mich einkaufen gehen. Ich liege seit einer Woche im Bett, mein Kühlschrank ist leer und ich habe Hunger.«

Der Dieb ging für die alte Frau einkaufen. Er trug den vollen Mülleimer hinunter. Er fuhr sogar mit dem Staubsauger durch die Wohnung. Dabei schüttelte er die ganze Zeit den Kopf. Er kannte sich selbst nicht mehr.

Später aßen der Dieb und die alte Frau miteinander zu Abend.

Die alte Frau fragte: »Was verdient man denn so in Ihrem Beruf?«

»Die Zeiten sind schlecht«, sagte er. »Besonders, wenn man allein arbeitet. Mit meinem Dietrich komme ich an die modernen Sicherheitsschlösser nicht heran. Und ich bin auch nicht mehr der Jüngste.«

Die alte Frau nickte. Sie lobte seine Hühnersuppe.

Später machte sie ihm einen Vorschlag: »Kommen Sie doch jeden Tag zu mir.

Viel kann ich Ihnen nicht zahlen, weil ich nicht viel habe. Es hätte sich für Sie gar nicht gelohnt, mich zu bestehlen, aber wenn Sie für mich kochen wollen, haben Sie Ihr Auskommen. Und Sie brauchen keine Angst vor der Polizei zu haben.«

»Und Sie brauchen keine Angst vor Dieben zu haben«, sagte er und lachte. »Ich kenne die Brüder. Bei mir haben die keine Chance.«

Wenn Frau Lizzi das alles gewusst hätte, wäre es ein Trost für sie gewesen. Besonders, wenn sie geahnt hätte, dass der Dieb die alte Frau gesund pflegen würde. Im nächsten Sommer werden die beiden sogar nach Venedig fahren. Weil die alte Frau einmal in einer Gondel sitzen will. Der ehemalige Dieb meint zwar, dass es in Venedig zu viele Tauben und zu viele Gauner gibt, die alte Frau besteht jedoch auf ihrem Wunsch. Aber bis zum nächsten Sommer ist es noch sehr weit.

Kamillentee und Langeweile

Am Abend bekam Vamperl Fieber.

Frau Lizzi legte ihm kalte Umschläge auf den heißen Kopf.

Sie tauchte zwei Windeln in Essigwasser und wickelte sie um seine heißen Füße.

Sie flößte ihm kühlen Kamillentee ein.

Sie hielt seine heiße Hand.

Sie beruhigte ihn, wenn er im Fieber zu strampeln begann.

Sie schluckte ihre Tränen hinunter.

Das Fieber stieg und stieg. Vamperl lag wimmernd mit geschlossenen Augen unter seiner bunten Decke. Hin und wieder riss er die Augen weit auf und zitterte.

»Ich bin ja bei dir«, sagte Frau Lizzi, aber sie merkte, dass er sie nicht verstand.

Nach Mitternacht sank das Fieber.

Vamperl schlief ein.

Frau Lizzi saß neben seinem Korb und passte auf.

Vamperl schlief fast bis zum nächsten Mittag. Als er endlich aufwachte, hatte er kein Fieber mehr. Aber er war noch sehr schwach. Frau Lizzi musste ihn auf seine Kiste heben. Er fiepte kläglich, wenn sie für ein paar Minuten aus dem Zimmer ging.

Vamperl erholte sich rasch, aber mit den Zahnstochern am Flügel konnte er sich nur schlecht bewegen.

»Lieg doch still!«, sagte Frau Lizzi.

Sie sagte es so regelmäßig, wie die Penderluhr im Zimmer die Stunden schlug.

Vamperl wurde missmutig.

Sooft unten ein Auto hupte, zappelte er. Sooft Frau Müller im Treppenhaus schimpfte, quengelte er. Sooft er Hundegebell hörte, wurde er kribbelig.

Es war eine schwierige Zeit für Frau Lizzi. Sie versuchte Vamperl zu unterhalten. Sie sang ihm vor, bis sie heiser war.

Er wollte weder Mensch-ärgere-dich-nicht spielen noch Mühle, noch Fang-den-Hut. Die Dominosteine trat er mit den Füßen um.

»Jetzt reißt mir aber bald die Geduld«, sagte Frau Lizzi. »Alles, was recht ist, aber wer ist schuld an deinem gebrochenen Flügel, du oder ich?«

Da guckte Vamperl schuldbewusst und steckte seine spitze Schnauze in Frau Lizzis hohle Hand.

Das versöhnte sie jedes Mal.

Aber kurz darauf fing alles wieder von vorne an.

Am Ende der ersten Woche nach dem Flügelbruch lag Vamperl in seinem Korb auf dem Fensterbrett.

Die Sonne schien.

Frau Lizzi bügelte.

Plötzlich fiepte Vamperl laut und ruderte mit den Armen.

Frau Lizzi rannte zum Fenster.

Gegenüber lehnten die alte Frau und der ehemalige Dieb friedlich nebeneinander im Fenster und sahen auf die Straße hinunter.

Vamperl klatschte in die Hände.

Frau Lizzi fuhr ihm über den Kopf.

»Dann war es ja doch nicht umsonst. Das ist gut. Sehr gut ist das, mein Lieber.«

Vamperl fiepte begeistert. Er hopste vor

Freude in seinem Korb herum, bis Frau Lizzi Angst bekam, er würde mitsamt seinem Korb umkippen und herunterfallen.

An diesem Tag ging Frau Lizzi zum ersten Mal seit dem Unfall einkaufen. Sie hatte rein gar nichts mehr im Haus. Die letzten drei Tage hatte sie nur noch Haferflockensuppe gegessen. Auf dem Rückweg kaufte sie eine Zeitung.

Als sie die Zeitung lesen wollte, bettelte Vamperl so lange, bis sie ihm vorlas.

Dann lag er ganz ruhig und hörte gespannt zu.

Frau Lizzi fragte sich, ob das denn gut für ihn sei.

Sie fand, es stünde eine Menge in der Zeitung, das für Kinder nicht geeignet war. Auch für Vampirkinder nicht. Aber dann dachte sie: Wer weiß, was er versteht. Sicher nicht mehr, als ihm guttut. Seine Augen sind so klug. Wenn er doch nur reden könnte!

Von da an musste Frau Lizzi jeden Tag eine Zeitung kaufen. Wenn sie die Zeitung fertig gelesen hatte, sagte sie Vamperl Gedichte auf. Sie wunderte sich selbst, wie viele sie noch auswendig wusste.

Nach zwei Wochen konnte Frau Lizzi die Leukoplaststreifen abreißen.

Vamperl fiepte und zitterte.

»Was sein muss, muss sein«, sagte Frau Lizzi und entfernte die Zahnstocher.

»Sieht so gut wie neu aus«, freute sie sich. »Aber pass auf!« Vamperl bewegte den Flügel sachte auf und ab.

Beim ersten Flugversuch am nächsten Tag torkelte er durch die Wohnung. Er lag sehr schief in der Luft.

Zwei Tage später aber flog er schon fast wie früher. Nur nicht ganz so schnell. »Aber allein fliegst du mir nicht wieder weg!«, sagte Frau Lizzi streng.

Radfahren verboten

Samstag war ein herrlicher Tag. Frau Lizzi meinte, es würde Vamperl guttun, richtig an die frische Luft zu kommen. Nach dem Mittagessen breitete sie ein weiches Handtuch in ihre große Einkaufstasche. Sie setzte den kleinen Vampir auf das Handtuch. Er strampelte und wehrte sich.

»Ach so«, sagte Frau Lizzi. »Du ärgerst dich, weil du da nichts sehen kannst.«

Sie hob ihn heraus und schnitt schweren Herzens ein Guckloch in die gute Tasche. Nun war Vamperl zufrieden. Er ließ sich spazieren tragen, über die Hauptstraße, durch den Park, durch die Siedlung.

Sie kamen zum Spielplatz.

In der Sandkiste saßen drei kleine Kinder und bauten eine Sandburg. Frau Lizzi setzte sich auf die Bank und sah ihnen zu. Sie war müde, ihre Gelenke taten wieder einmal weh und es machte ihr Freude, den Kindern zuzusehen.

Eine Kinderschar kam auf Fahrrädern angefahren.

Sie fuhren im Kreis durch die Anlage.

Sie fuhren ein Rennen.

Sie fuhren einen Slalom.

Als sie einen Langsamfahrwettbewerb machten, kam der Hausmeister. »Sofort aufhören!«, rief er. »Radfahren ist in der Anlage verboten!«

»Wo sollen wir denn Rad fahren?«, fragte ein Mädchen.

Der Hausmeister fuchtelte mit den Armen. »Frech auch noch! Könnt ihr nicht lesen? Was bringen sie euch heutzutage überhaupt noch bei?« Er packte das Mädchen an den Schultern und führte sie zu einem großen Schild. »Was steht da? ›Radfahren verboten‹ steht da. Klar und deutlich. Also los! Wenn ihr nicht sofort verschwindet mit euren Fahrrädern, dann rufe ich die Hausverwaltung an.«

Ein kleineres Kind kippte mit dem Rad um und begann zu weinen. Frau Lizzi hielt ihre Tasche mit beiden Händen zu. Aber es war schon zu spät. Vamperl war bereits hinausgeflitzt. Er stürzte sich auf den Hausmeisterbauch.

Er biss zu.

Er fing an zu saugen.

Der Hausmeister kratzte sich am Hinterkopf. Dann fragte er: »Tja – wo sollen sie denn wirklich Radfahren?«

Die Kinder standen stocksteif. Der Kleine hörte auf zu weinen.

»Auf der Straße dürfen sie nicht, weil sie noch zu klein sind«, fuhr der Hausmeister fort. »Auf dem Gehsteig fahren sie womöglich Kinder und alte Leute um. Wo sollen sie wirklich hin mit ihren Rädern? In der Küche kann man nicht Radfahren.« Er wandte sich mit strenger Miene an die Kinder. »Also gut. Fahrt hier. Aber passt gefälligst auf!«

Er packte seinen großen Besen und ging.

Die Kinder starrten ihm nach. »Was ist denn auf einmal in den gefahren?«, fragte ein Junge.

Der Kleine, der vom Rad gefallen war, sagte: »Eine Fledermaus ist in ihn gefahren. Ich habe sie gesehen.«

»Erzähl uns doch keine Märchen, Oliver!«, sagte ein Mädchen. »Was du immer zusammenschwindelst!«

»Doch«, beharrte Oliver. »Eine schöne Fledermaus.«

Frau Lizzi hielt ihre Tasche fest zu und ging schnell nach Hause.

»Vamperl«, sagte sie, »von dir würde ich graue Haare bekommen, wenn ich sie nicht schon hätte.«

Vamperl schmatzte und rieb sich den kleinen, runden Bauch.

Was zu viel ist

Frau Lizzi seufzte.

»Ich hätte gedacht, dass du vorsichtiger werden würdest nach deinem Unfall. Aber nein! Ganz im Gegenteil. Früher bist du wenigstens in der Gegend geblieben.«

Vamperl sah sie mit schief gelegtem Kopf an.

Seine Augen wurden groß und rund, wenn sie mit ihm sprach.

Er stupste seine Nase in ihre Hand.

Aber er flog immer weiter weg.

Manchmal erfuhr Frau Lizzi durch Zufall davon.

Manchmal auch nicht.

Das war gut so. Sie hätte sich zu sehr aufgeregt.

Sie regte sich ohnehin ständig auf.

Sie erfuhr zum Beispiel nie von dem Tag, an dem Vamperl hinter Hannes herflog und in die Schule kam.

Vamperl versteckte sich hinter der Tafel.

Die Stunde, in der die Kinder eine Rechenarbeit schrieben, verschlief er.

Als die Kinder laut lasen, döste er.

Als die Kinder zeichneten, wäre er am liebsten in der Klasse herumgeflogen und hätte alle die bunten Bilder genau angesehen. Besonders die Urwaldbilder.

Als die Kinder in der letzten Stunde hin und her wetzten und gähnten und schwätzten, wurde der Lehrer böse.

»Hefte heraus!«, sagte er.

Vamperl huschte hinter der Tafel hervor und saugte einen kleinen Schluck Gift aus der Lehrergalle.

Der Lehrer fuhr sich mit allen Fingern durch die Haare.

»Mir scheint, ihr seid schon müde«, sagte er. »Wie wäre es, wenn ich euch erst einmal eine lustige Geschichte erzähle?«

Alle Kinder saßen mit offenen Mündern da.

Hannes hätte fast eine Fliege verschluckt.

Der Lehrer begann: »Ein Elefant stampfte durch den Urwald...«

»Bitte, da ist eine Fledermaus!«, rief ein Mädchen.

Vamperl schoss durch das offene Fenster hinaus. Er setzte sich auf ein Fenstersims und winkte dem Mädchen zu.

Vamperl hatte nicht darauf geachtet, dass auf dem Fenstersims schon zwei Tauben saßen. Sie begannen laut zu

gurren. Vamperl machte sich ganz klein. Die Tauben trippelten aufgeregt hin und her. Gleich darauf schwirrte die Luft. Ein Taubenschwarm stürzte herab. Schnäbel hackten nach dem kleinen Vampir. Runde Augen funkelten ihn an. Im letzten Moment gelang es ihm doch, seine Flügel auszubreiten. Er hatte Glück. Ein leichter Aufwind trug ihn davon.

An diesem Nachmittag blieb Vamperl bei Frau Lizzi. Er machte es sich in ihrer Halsgrube bequem.

Sie legte hin und wieder beim Lesen den Kopf schief und streichelte mit dem Kinn über seinen Bauch. Dann fiepte er leise und zufrieden. Am nächsten Tag aber schoss er wieder davon.

Auf der Kreuzung war heute gar nichts los. Den Autofahrern, die jeden Tag hier vorbeikamen, war die Freundlichkeit schon fast selbstverständlich geworden. Vamperl holte sich ein kleines Gallen-

frühstück von einem Ehepaar, das bei offenem Fenster Kaffee trank.

»Du hast meinem Wagen schon wieder eine Beule geschlagen!«, schimpfte der Mann.

»*Deinem* Wagen?!«, rief die Frau. »Ich dachte, das ist *unser* Wagen!«

»Weil du eben nicht Autofahren kannst«, schimpfte der Mann weiter. »Frauen können nicht Autofahren.«

Die Frau verzog das Gesicht. »Die Beule ist sicher von gestern Abend, als du...«

»Ich?« Der Mann wurde krebsrot. »Mir willst du das in die Schuhe schieben?«

Vamperl biss zuerst ihn, dann sie. Als er weiterflog, wusch der Mann die Kaffeetassen und die Frau trocknete ab. Sie lachten dabei.

Vamperl sah die Kinder auf dem Schulweg. Hannes und Dieter kickten abwechselnd einen Tannenzapfen vor sich her.

Vamperl hielt Abstand. Schon zweimal hatte ihn ein Kind gesehen. Erwachsene hatten ihn noch nie entdeckt.

Er kam in eine Gegend, die ihm ganz neu war. Hinter einer hohen Mauer hörte er Stampfen und Dröhnen. Er flog über die Mauer. Hinter der Mauer lag ein großes Gebäude. Vamperl spähte durch eines der Fenster. In einer großen Halle standen verschiedene Maschinen. Hebel gingen auf und ab, riesige Klötze schlugen auf Metall.

Vamperl bekam Angst. Das Dröhnen schüttelte ihn hin und her, obwohl er sich am Fenster festklammerte.

Er flatterte zur nächsten Halle. Hier

war kein Maschinenlärm zu hören. Hier spielte laute Musik.

Quer durch die Halle lief ein Band. Das Band bewegte sich. Silbrig glänzende Kasten kamen darauf angefahren.

Neben dem Band standen Frauen. Alle trugen Tücher auf dem Kopf.

Eine schraubte zwei Schrauben in jeden Kasten.

Die nächste drehte einen Knopf hinein. Die nächste befestigte eine Feder.

Eine Frau hatte eine rote Nase. Sie schnupfte immer wieder auf.

Einmal griff sie nach ihrem Taschentuch, da musste sie hinter dem Band herlaufen, weil ihr ein Kasten davongefahren war.

Ein Mann ging auf sie zu.

»Wenn Sie so weitermachen, fliegen Sie«, sagte er. »Heute haben Sie schon sechs Schrauben übersehen!«

»Ich habe argen Schnupfen«, sagte die Frau.

»Ihr Schnupfen interessiert mich nicht«,

sagte der Mann. »Jetzt sind wieder zwei vorbei. Holen Sie sich Ihre Papiere!«

»Sie kündigen mir?«, fragte die Frau entsetzt.

»Und ob ich Ihnen kündige!«, sagte der Mann.

Vamperl flog in die Halle. Er stach zu und begann zu saugen.

Es kam ein solcher Schwall Galle auf einmal, dass Vamperl sich verschluckte. Seine Kehle brannte. Fast hätte er losgelassen. Aber er sah das verzweifelte Gesicht der Frau und saugte weiter.

Der Mann blickte sich in der Halle um, als sähe er sie zum ersten Mal.

»Mir scheint«, sagte er, »dass wir das Fließband zu schnell eingestellt haben. Da können Sie sich ja nicht einmal die Nase putzen!« Er ging zu einem Schaltkasten und drehte an ein paar Knöpfen.

Das Fließband lief langsamer. Die Frauen sahen einander verwundert an.

»Sie gehen jetzt in die Kantine«, sagte

der Mann zu der Frau mit der roten Nase, »und holen sich einen heißen Tee. Ich übernehme solange für Sie.«
Die Frau rührte sich nicht.
»Na, worauf warten Sie noch?«, sagte der Mann.
Vamperl spürte einen Druck im Magen. Er hatte viel zu viel Galle getrunken. Er konnte kaum fliegen mit dem schweren, dicken Bauch. Fast wäre er im Fensterspalt stecken geblieben.
Auf dem Heimweg begegnete er zwei Mädchen, die hinter einer alten Frau

herspotteten. Er hätte gern eingegriffen. Aber er war wirklich zu voll.

Es war kein Platz mehr, auch nicht für den kleinsten Schluck.

Frau Lizzi bemerkte gleich, dass er traurig war. Sie sah seinen prallvollen Bauch. »Du hast dich übernommen, gelt?«, sagte sie. »Kann ich mir gut vorstellen.« Sie wärmte eine von seinen alten Windeln und legte sie ihm auf den Bauch. Dann setzte sie sich in den Lehnstuhl und nahm ihn auf den Schoß.

»Wenn ich denke, wie viel Gift und Galle es auf der Welt gibt! Da kann einer saugen, bis er blau im Gesicht wird, und man merkt noch nicht viel davon, dass etwas fehlt. Das heißt, der Hannes merkt es natürlich sehr. Und die alte Frau von gegenüber. Aber zwei Häuser weiter merken sie schon fast nichts mehr. Verstehst du? Einer schafft das nicht allein.«

Sie saßen eine Weile still da. Dann lächelte Frau Lizzi.

»Hör zu«, sagte sie. »Mir ist etwas eingefallen.«
Sie sang ihm ein neues Lied vor:

»Morgens schon in aller Frühe
wird mein Vamperl munter,
flitzt wie ein geölter Blitz auf die Straße runter,
weil er ständig Leute trifft
voller Gift.
Doch wie fleißig er auch sticht,
das arme Vamperl schafft es nicht.
Er ist allein und viel zu klein,
es müssten viele Vamperln sein
für so viel Gift.
Ich denke mir mindestens acht oder zehn.
Wir beide sollten sie suchen gehn.
Wo immer sie sich auch heimlich verstecken,
wir beide werden sie sicher entdecken!
Zehn kleine Vamperln, wir bringen sie her,
dann hat mein Vamperl es nicht mehr so schwer.«

Eine schwere Entscheidung

Am nächsten Morgen zog Frau Lizzi ihre bequemen Schuhe an. Sie packte Brote ein.

Vamperl flatterte aufgeregt fiepend in der Wohnung umher.

Frau Lizzi dachte: Was habe ich da nur versprochen! Wo sollen wir überhaupt anfangen zu suchen? Es wäre mir fast lieber, es würde schütten. Dann hätte ich einen Tag Zeit zum Überlegen. Aber heute regnet es sicher nicht. Und morgen auch nicht. Ich spüre es in den Gelenken. Das heißt, eigentlich spüre ich nichts. Also kann es auch nicht regnen. Laut sagte sie: »Hör auf zu zappeln und trink deine Milch! Wir wollen doch früh losziehen.«

Vamperl verschüttete den halben Fingerhut voll Milch. Das war schon lange nicht mehr vorgekommen.

Frau Lizzi setzte ihren schönsten Hut

auf. Sie hatte diesen vor zehn oder zwölf Jahren gekauft, als ihre Nichte heiratete. Vielleicht, dachte sie, bringt ein Hochzeitshut Glück. Glück können wir brauchen.

Vor allem aber konnte Vamperl darunter sitzen und durch das Strohgeflecht alles beobachten.

»Tanz nicht so herum, du zerzaust mir die Haare«, sagte Frau Lizzi.

Vamperl bemühte sich, ruhig zu sitzen.

Frau Lizzi trat aus dem Haus. Ein Sonnenstrahl fiel ihr ins Gesicht und blendete sie.

Plötzlich ertönte wütendes Hundegebell, hohes, zorniges Kläffen und tiefes, wütendes Knurren.

Schon wieder der Flocki und der Bello!, dachte Frau Lizzi.

Da stand sie schon vor den gekreuzten Hundeleinen.

Am Ende der einen Leine hing Frau Maringer.

Am Ende der anderen Leine hing Frau Anna.

»Ihre Bestie hat nach meinem Flocki geschnappt!«, zischte Frau Anna.

»Ihr Köter hat meinen Bello angegriffen!«, japste Frau Maringer.

Frau Anna wurde rot. »Köter? Mein Flocki ist kein Köter! Sehen Sie doch, wie Ihr Hundevieh geifert! Der ist sicher tollwütig. Das gehört doch angezeigt.«

Frau Maringer wurde blass. »Tollwütig?

Wir werden sehen, wer da wen anzeigt!
Sie – Sie Person, Sie! Bello, Bellolein-
chen, komm zu deinem Frauchen!«
Belloleinchen dachte nicht daran, zu
seinem Frauchen zu kommen. Die
Hunde liefen im Kreis. Die beiden Frau-
en wurden immer enger mit den Leinen
umwickelt.
»Ihr Bello hat meinen Flocki gebissen!«
»Ihr Flocki hat meine Strümpfe zer-
rissen!«
»Ihr Bello beschmutzt unser Treppen-
haus!«
»Ihr Flocki sieht ganz räudig aus!«
»Räudig sind Sie, Sie schlechte Person!«
»Ich verbitte mir diesen Ton!«
Plötzlich gelang es Flocki, sich loszu-
reißen. Gleich darauf riss sich Bello los.
Frau Anna und Frau Maringer schrien
auf.
Flocki fletschte die Zähne.
Bellos Lefzen trieften.
Ringsum hatte sich eine Menschen-
menge angesammelt.

»Gleich raufen die . . . Damen«, sagte ein kleiner Junge und rieb sich die Hände.

Frau Lizzi spürte einen Luftzug auf dem Kopf.

In dem Gedränge sah sie nicht, wie Vamperl zustach.

Sie hörte die Frau Maringer sagen: »Liebe Frau Anna, hätten Sie eventuell Zeit, eine Tasse Kaffee mit mir zu trinken?« Ihr Gesicht war noch in zornige Falten gelegt, aber ihre Stimme klang ganz süß.

»O danke, gern«, sagte Frau Anna. »Ich wollte Sie ohnehin um das Rezept für Ihren Eierlikör bitten, liebe Frau Marin-

ger.« Die beiden zogen Arm in Arm ab. Bello und Flocki trugen ihre Leinen im Maul und liefen vor ihnen her.

Die Menschenmenge löste sich auf.

»Schade«, sagte der kleine Junge.

Frau Lizzi spürte, wie sich Vamperl in ihrem Haarknoten bequem ausstreckte.

Ein Herr trat ihr in den Weg.

»Verzeihung«, sagte er, »darf ich eine Frage an Sie richten? Doktor Obermeier mein Name. Vorstand des Städtischen Krankenhauses und Professor an der hiesigen Universität.«

»Ja, bitte?«

»Haben Sie eben dieses Insekt gesehen? Knapp bevor die beiden Damen gänzlich unerwartet ihren Streit bereinigten, meinte ich eine Art Insekt zu sehen.«

Frau Lizzi vergaß jede Vorsicht. »Ein Insekt!«, rief sie. »Also wirklich! Hast du das gehört? Ein Insekt schimpft er dich. Und so etwas nennt sich Professor.«

»Mit wem sprachen Sie eben?«, fragte Professor Obermeier.

Frau Lizzi schlug sich mit der Hand auf den Mund.

Ihre Knie zitterten.

Professor Obermeier beobachtete sie scharf. »Warum haben Sie denn Angst vor mir?«, fragte er freundlich.

»Das ist es nicht«, sagte sie.

Professor Obermeier lächelte. »Sie können sich mir unbesorgt anvertrauen. Was Sie mir auch sagen, es bleibt ganz unter uns.«

Plötzlich spürte Frau Lizzi, dass ihr Geheimnis sie schon lange drückte. Dass sie einem Menschen sagen wollte, was ihr Vamperl alles geleistet hatte.

Sie hob den Hut ein wenig. »Bitte, sehen Sie selbst!«

Professor Obermeier guckte. Er trat einen Schritt zurück.

»Das ist ja … das ist ja ein Vampir!«, rief er.

»Geborener Vampir«, verbesserte Frau

85

Lizzi. »Jetzt ist er mein Vamperl. Mit Vampiren hat er nichts zu tun, aber auch gar nichts. Außerdem gibt es Vampire nur in Geschichten. Meinen Vamperl gibt es wirklich. Also kann er gar kein Vampir sein. Stimmt's?«

Diese Frage konnte Professor Obermeier nicht beantworten.

Er führte Frau Lizzi zu einer Parkbank. Sie setzten sich.

Dann fragte er: »Und wie macht er das, Ihr Vamperl?«

Frau Lizzi sagte feierlich: »Er saugt den Leuten das Gift aus der Galle.«

Professor Obermeier sprang auf. »Das Gift aus der Galle?! Gute Frau, wissen Sie, was Sie da sagen?«

Frau Lizzi stand ebenfalls auf.

»Ich bin nicht Ihre ›gute Frau‹ und ich weiß genau, was ich sage. Ich bin zwar alt, aber deswegen noch lange nicht blöd. Vamperl, wir gehen!«

Professor Obermeier fasste sie am Arm. Er flehte sie an, ihm nicht böse zu sein. »Ich bin etwas außer mir«, sagte er. »Ihr Vamperl könnte von unvorstellbarem Wert für die Wissenschaft sein!«

Seine Augen funkelten Frau Lizzi unheimlich an.

»Also, vor allem ist mein Vamperl von unvorstellbarem Wert für unser Haus«, sagte sie. »Seit er da ist, hat der Hannes keine Prügel mehr bekommen, und seit er keine Prügel mehr bekommt, ist er ein anderes Kind. Erst gestern hat er mir den Einkaufskorb hinaufgetragen! Er lernt auch besser. So, und jetzt gehen wir. Guten Tag!«

Professor Obermeier stellte sich ihr in den Weg.

»Verstehen Sie denn nicht? Sie können jetzt nicht einfach davonlaufen. Es wäre reiner Eigennutz, wenn Sie Vamperl für sich behielten. Er könnte der ganzen Menschheit zum Segen werden!«

»Ebendarum müssen wir gehen. Wir haben zu tun.«

Professor Obermeier wurde immer aufgeregter. Seine Stimme überschlug sich fast.

»Außerdem ist freies Giftsaugen strengstens verboten!«, rief er. »Wo kämen wir denn hin, wenn jeder Gift saugen dürfte, wie und wo er will? Wissen Sie, wie lange ein Medizinstudium dauert? Und Ihr Vamperl hat nicht einmal die Grundschule besucht, keine Lehre absolviert, keine Universität von innen gesehen! Keine Zeugnisse, kein Diplom. Nichts! Und *Sie* tragen die Verantwortung!«

Frau Lizzi nickte. »Ist mir recht.«

»Aber Sie können sich dem Fortschritt nicht widersetzen!« Professor Obermeier ruderte mit den Armen. »Die Menschheit blickt auf Sie!«

Frau Lizzi sah nur den Professor Obermeier, der sie anblickte. Er tat ihr schon fast leid.

»Aber, Herr Professor«, erklärte sie ihm, »mein Vamperl braucht keine Menschheit! Er kommt kaum nach mit dem, was ihm so an Gift und Galle über den Weg läuft. Erst gestern hat er sich richtig überfressen.«

Hier hakte der Professor sofort ein: »Dann ist er vielleicht krank und muss in seinem eigenen Interesse zu uns kommen! Er kann bei uns arbeiten und ich werde für ihn sorgen.«

»Das mache ich schon selbst«, beharrte Frau Lizzi. »Schließlich habe ich ihn aufgezogen. Außerdem ist er noch viel zu jung, um zu arbeiten. Kinderarbeit ist verboten!«

Professor Obermeier winkte ab. »Das gilt nur für Menschenkinder. Außerdem lässt sich alles regeln. Und bedenken Sie doch – unser Krankenhaus wird bestimmt weltberühmt!«

»Ist mir egal.«

»Und Sie kommen in die Zeitung. Und ins Fernsehen!«

»Ist mir auch egal.«

Vamperl hob Frau Lizzis Hut ein wenig und wackelte mit einem Flügel. Professor Obermeier griff nach ihm. Vamperl jaulte auf.

»Lassen Sie sofort los!«, schrie Frau Lizzi.

Professor Obermeier ließ los. »Verzeihung!«, sagte er mit einer leichten Verbeugung. »Ich bin völlig durcheinander. So etwas ist mir noch nie passiert.«

Schweren Herzens fasste Frau Lizzi einen Entschluss.

»Also gut. Wenn es wirklich so wichtig ist, dann kann er zu Ihnen gehen. Aber ich komme mit.«

Professor Obermeier strahlte. Dann aber sagte er: »Es ist nicht vorgesehen, dass Sie mitkommen.«

»Meinetwegen als Putzfrau«, sagte Frau Lizzi.

»Entschuldigen Sie vielmals, aber Sie sind doch viel zu alt, um bei uns zu arbeiten.«

Frau Lizzi schüttelte den Kopf. »Wenn er nicht zu jung ist, dann bin ich auch nicht zu alt. Entweder mit mir oder gar nicht.«

Professor Obermeier gab nach.

Er bestand allerdings darauf, dass Vamperl schon in dieser Nacht im Krankenhaus schlafen müsse.

Als Frau Lizzi spätabends heimkam, schien ihr die Wohnung schrecklich leer.

Unter dem Glassturz

Frau Lizzi fuhr am nächsten Morgen mit der ersten Straßenbahn ins Krankenhaus.

Vamperl hockte unter einem Glassturz, der auf einem weißen Tisch in einem weißen Zimmer stand.

Neben dem Tisch gab es einen Stuhl. Auf dem Stuhl saß eine hübsche junge Ärztin. Sie beobachtete Vamperl unentwegt und schrieb alles, was er tat, genau auf.

Frau Lizzi schlug die Hände über dem Kopf zusammen.

»Warum sitzt er unter einer Käseglocke?«

Vamperl hüpfte aufgeregt hin und her und schlug mit seinen kleinen Fäusten gegen die Glocke.

Die junge Ärztin schrieb auch das auf, dann erst antwortete sie freundlich: »Der Herr Professor hat es so angeordnet.«

»Aber warum?«

»Er hat es angeordnet«, wiederholte die Ärztin.

»Warum?«, wiederholte Frau Lizzi.

Die Ärztin zuckte mit den Schultern. »Einen Herrn Professor fragt man nicht!«

»Und ich frage auch nicht, wenn ich ihn jetzt herauslasse«, erklärte Frau Lizzi.

Vamperl flog auf ihren Kopf. Er kuschelte sich in ihren Haarknoten. »Ist schon gut, mein Kleiner«, sagte sie. »Ist schon gut.«

Es war aber leider nicht gut.

Professor Obermeier wurde sehr böse, als er Vamperl auf Frau Lizzis Kopf sah.

»Das ist völlig unmöglich! Ein städtischer Giftsauger darf nicht mit Schmutz in Berührung kommen.«

Frau Lizzi war beleidigt. »Also erlauben Sie! Meine Haare sind nicht schmutzig! Die sind frisch gewaschen.«

Professor Obermeier erklärte, dass er nicht diesen Schmutz meinte. »Es geht um Krankheitserreger und die sind überall.«

Vamperl musste unter den Glassturz zurück.

Er ließ den Kopf hängen.

Er kaute an seinen Flügelspitzen.

Er blickte nicht einmal auf, als Frau Lizzi an die Glocke klopfte.

»Er wird sich bald eingewöhnen«, sagte Professor Obermeier. »Sie werden schon sehen.«

Frau Lizzi hoffte, dass er recht hatte.

Glauben konnte sie es nicht.

Vamperl durfte nun nicht mehr den Leuten das Gift aus der Galle saugen, wenn sie böse waren.

Er musste das Gift saugen, das ihm Professor Obermeier vorschrieb.

Am ersten Tag im Krankenhaus saugte Vamperl fünf verschiedenen Patienten fünf verschiedene Gifte ab.

Professor Obermeier war glücklich. Er schrieb Briefe an alle berühmten Professoren der Welt und lud sie in sein Krankenhaus ein. Die Patienten waren auch glücklich. Ein Mann allerdings bekam einen Schreikrampf, als er Vamperl erblickte, und eine Frau wurde ohnmächtig.

»Es wäre zu schade gewesen, wenn er nur bei der Galle geblieben wäre«, sagte Professor Obermeier. »Seine Talente wären verkümmert.«

Vamperl hörte auf dem Gang vor seinem Zimmer zwei Menschen streiten. Und er saß unter dem Glassturz und

konnte nicht eingreifen. Er faltete die
Flügel über dem Kopf zusammen. So
sah niemand, dass er weinte.

Frau Lizzi war ebenfalls zum Weinen
zumute. Aber als ihr Professor Obermeier sagte: »Vamperl hat einem tod-
kranken Patienten geholfen«, freute sie
sich sehr. Trotzdem war ihr schwer
ums Herz.
Am Abend erzählte Frau Anna: »Stellen Sie sich vor, Frau Lizzi, heute war
wieder ein Autozusammenstoß an
unserer Ecke. Schrecklich, sage ich
Ihnen. Da hat man schon gedacht, es
wäre besser geworden. Aber so ist das
eben.«

Frau Lizzi nickte traurig.

Im Oberstock hörte man Ohrfeigen klatschen. Gleich darauf hörte man Hannes heulen.

Am nächsten Tag wurde es noch schlimmer.

Als Professor Obermeier den Glassturz hochhob, stand Frau Lizzi neben ihm. Vamperl sah sie nicht an. Er tat, was der Professor verlangte. Aber er zeigte seine spitzen Zähne und fauchte. Das hatte er früher nie getan.

Frau Lizzi musste schlucken und noch einmal schlucken.

Ihre Brille lief an. Es half nichts, wenn sie sie putzte.

Am Abend ging Frau Lizzi noch einmal zum Vamperl.

Er lag unter seinen zerknitterten Fledermausflügeln.

Frau Lizzi hob den Rand der Glocke an.

»Ich bin's«, flüsterte sie.

Er rührte sich nicht.

»Ich singe dir dein Lied vor, ja?« Ihre Stimme zitterte. »Dann wirst du gut schlafen.« Sie begann zu summen:

> »Morgens, schon in aller Frühe,
> wird mein Vamperl munter...«

Er zog die Oberlippe hoch und knurrte.

An diesem Abend konnte Frau Lizzi nicht einschlafen.

Sie hörte die Turmuhr schlagen, jede Viertelstunde.

Sie hörte die Autos sausen.

Sie hörte ihr Herz klopfen.

Am nächsten Morgen taten ihr alle Gelenke so weh wie nie zuvor.

Sie fuhr ins Krankenhaus und lief in Vamperls Zimmer. Professor Obermei-

er war schon da und beugte sich besorgt über die Glasglocke. Vamperl war geschrumpft.

Er war nur mehr so groß wie ein Mittelfinger.

Vor zwei Tagen war er noch eine Spanne lang gewesen.

»Ich nehme ihn heim«, sagte Frau Lizzi.

»Das wäre sein Tod«, sagte Professor Obermeier. »Wir müssen ihn behandeln!«

Der Professor gab sich alle Mühe.

Vamperl bekam Injektionen und Pillen.

Er bekam Schonkost und Vitamine.

Er bekam Höhensonne und Lebertran.

Es half alles nichts. Er schrumpfte weiter.

Die Haut hing in Falten um seinen mageren Körper.

Selbst seine spitzen Vampirzähne schrumpften.

Am dritten Tag musste Professor Obermeier die starke Lesebrille aufsetzen, um ihn überhaupt zu sehen.

Frau Lizzi schrumpfte ebenfalls. Das Essen schmeckte ihr nicht. Sogar der Kaffee schmeckte ihr nicht. Sie musste einen Gürtel tragen, sonst hätte sie ihren Rock verloren. Sie war nicht nur traurig. Sie fühlte sich auch schuldig.

»Ich hätte nicht nachgeben dürfen«, sagte sie immer wieder. »Ich hätte nicht nachgeben dürfen.«

Auf dem Heimweg sah sie Hannes, Klaus und Karin.

Die drei stupsten Dieter in den Bauch und fragten. »Was bist du?« Dann antworteten sie selbst: »Dumm bist du.«

Frau Lizzi packte Hannes an den Schultern und rüttelte ihn. Hannes sah sie erstaunt an.

»Willst du sofort aufhören?«, fragte Frau Lizzi. »Aber sofort!«

»Ich sag's meiner Mama!«, jammerte Hannes.

Frau Lizzi schüttelte ihn wieder. »Tu das nur. Und sag ihr auch gleich dazu, warum ich es getan habe.«

»Ist sowieso egal«, sagte Hannes mit finsterem Gesicht.

Frau Lizzi musste an die Ohrfeigen denken. Sie ließ los.

Vamperl, dachte sie. Du müsstest da sein. Was kann ich denn tun? Gar nichts kann ich tun.

Hannes stand vor ihr und stocherte mit den Schuhspitzen im Sand. Sie putzte sich die Nase. Dann lud sie die Kinder in den Eissalon ein. Alle vier.

Die Kinder wunderten sich.

Frau Lizzi wollte mit ihnen reden. Aber ihre Stimme klang so jämmerlich, dass sie es bleiben ließ.

In dieser Nacht träumte Frau Lizzi von
einem riesigen Vampir.
Der riesige Vampir stand vor ihrem Bett
und fletschte die Zähne.
Sie wachte auf.
Ihr Kopfkissen war nass.
Dann träumte sie von einer Vampir-
schar.
Die Vampirschar verfolgte sie.
Die Flügel knatterten wie große Segel
im Sturm.
Sie wachte auf.
Ihr Nachthemd war sehr verschwitzt.
Zuletzt träumte sie vom Krankenhaus.

Sie kam in Vamperls Zimmer.
Da stand die Glasglocke.
Unter der Glasglocke war nichts.
Sie wachte auf.
Ihr Herz schlug so hart, dass es wehtat.
Frau Lizzi stand auf.
Die Gedanken in ihrem Kopf schwirrten durcheinander.
Langsam löste sich einer aus dem Getümmel.
Frau Lizzi trank eine Tasse Kamillentee und zwang sich, ganz ruhig zu überlegen.
Als die Morgendämmerung über die Häuser kroch, stand ihr Entschluss fest.

Letztes Kapitel

Wieder fuhr Frau Lizzi mit der ersten Straßenbahn ins Krankenhaus. Mit weichen Knien ging sie in Vamperls Zimmer. Er war noch da.

Aber er war winzig.

So winzig wie an dem Tag, als sie ihn in der Spinnwebe gefunden hatte.

»Vamperl«, flüsterte sie. »Ich bin's. Bitte erschrick jetzt nicht. Du darfst nicht erschrecken, hörst du?«

Sie packte die Glasglocke und warf sie mit Schwung auf den Boden.

Die Scherben klirrten.

Vamperl rührte sich nicht.

»Du bist doch nicht tot?«, flüsterte Frau Lizzi. »Du darfst nicht tot sein! Bitte!«

Eine Krankenschwester kam gelaufen. »Was ist da passiert?«, fragte sie.

Frau Lizzi gab keine Antwort. Sie stand über Vamperl gebeugt. Sie wusste noch immer nicht, ob er überhaupt noch lebte.

Klingeln schrillten. Summer summten. Lampen flackerten. Die Tür wurde aufgerissen.

Professor Obermeier kam herein, gefolgt von Ärzten und Schwestern und Studenten.

»Was ist passiert?«, fragte Professor Obermeier.

Frau Lizzi richtete sich auf. »Gar nichts ist passiert. Ich habe die Glocke absichtlich runtergeworfen.«

»Absichtlich?!« Der Professor versuchte, nicht zu brüllen. »Sie bringen ihn in Gefahr! Und morgen kommen Giftfachleute aus aller Welt.«

»Ihre Fachleute sind mir egal. Und in Gefahr ist er, seitdem er hier eingesperrt ist! Eingesperrtsein verträgt er

nicht. Solange er bei mir war und den Leuten das Gift aus der Galle gesaugt hat, war er putzmunter. Sie haben ihn krank gemacht, Herr Professor!«

»Sind Sie völlig verrückt? In meinem Krankenhaus wird man nicht krank gemacht!«

Professor Obermeier geriet immer mehr in Wut. »Wir haben ihm die Möglichkeit gegeben, zum Wohle der Menschheit zu wirken!«

Frau Lizzi streichelte mit einem Finger über den reglosen Vamperl. »Vielleicht ist es ohnehin schon zu spät. Ich hätte ihn früher wegholen müssen. Aber Sie wollten ja unbedingt berühmt werden auf seine Kosten!«

»Das ist eine Beleidigung!«, schrie Professor Obermeier. »Nehmen Sie das sofort zurück!«

Er ging einen Schritt auf Frau Lizzi zu.

In dem Moment bewegte sich der winzige Vampir. Er schoss nicht auf den Professor los. Er torkelte. Aber er stach zu.

Er war so schwach, dass er Mühe mit dem Saugen hatte. Aber schon nach den ersten Schlucken ging es besser.

Ärzte und Schwestern starrten den Professor an.

Frau Lizzi liefen die Tränen über die Wangen.

Auf dem Gesicht des Professors breitete sich eine große Verwunderung aus.

Plötzlich fiel Vamperl vom Professorbauch ab wie ein reifer Apfel.

Frau Lizzi konnte ihn gerade noch auffangen, bevor er zu Boden fiel.

Er rollte sich in ihrer Hand zusammen.

»Meine liebe Frau Lizzi«, sagte der Professor, »es war wirklich nicht so gemeint.«

»Schon gut«, sagte sie. »Also auf Wiedersehen!«

»Bitte, bleiben Sie doch!« Der Professor legte ihr die Hand auf den Arm.

Vamperl zitterte.

»Tut mir leid, Herr Professor«, sagte Frau Lizzi. »Vamperl ist noch viel zu schwach fürs Krankenhaus. Der gehört jetzt nach Hause. Sie können ja mit Ihren Herren zu uns kommen, wenn Sie wollen. Ich koche Ihnen auch einen Kaffee. Und später, wenn mein Vamperl wieder gesund ist, kommen wir auch her, falls Sie uns brauchen. Wir helfen gern aus. Aber eingesperrt wird nicht mehr.«

»Eingesperrt wird nicht mehr«, wiederholte Professor Obermeier und nickte.

Vamperl war inzwischen auf Frau Lizzis Kopf gekrabbelt.

»Zieh nicht so an meinen Haaren«, sagte sie.

Sie lächelte. Wenn er sie an den Haaren rupfte, dann war ja alles wieder gut. Oder fast gut.

Die Ärzte und Schwestern standen immer noch im Halbkreis um Professor Obermeier und Frau Lizzi. Sie hatten Mühe, den Mund wieder zuzubringen. Sie standen da wie ein stummer Chor.

Sie konnten nicht fassen, dass es jemand gewagt hatte, dem Herrn Professor zu widersprechen.

Sie konnten noch weniger fassen, dass der Herr Professor so freundlich wurde, wenn man ihm widersprach.

»Wir müssen gehen«, sagte Frau Lizzi. »Wir haben viel zu tun. Es ist alles in Unordnung gekommen, während er hier war.«

Sie schüttelte dem Professor die Hand. Er begleitete sie bis zum Ausgang. Ärzte und Schwestern gingen hinterdrein.

Vamperl zupfte glücklich fiepend Haare aus Frau Lizzis Knoten. Er winkte dem Professor und den Ärzten und den Schwestern zu. Die Sonne schien.

»Na, du«, sagte Frau Lizzi. »Für heute gehen wir nach Hause. Ich habe mir einen Kaffee verdient, meinst du nicht? Aber sobald du wieder gesund bist, machen wir uns ernsthaft auf die Suche. Du weißt schon, was ich meine. Ein Vamperl ist einfach nicht genug. Solche wie dich brauchen wir viele!«

WHEN THE BOMB DROPPED
August 6, 1945

MISS TOSHIKO SASAKI, a clerk in the person-
nel department of the East Asia Tin Works, was
chatting with another girl.

DR. MASAKAZU FUJII, the proprietor of a
one-doctor hospital, has just settled comfortably
on his porch.

MRS. HATSUYO NAKAMURA, a widow,
looked out at a strange scene from her window.

FATHER WILHELM KLEINSORGE, a Ger-
man priest, was reading a Jesuit magazine.

DR. TERUFUMI SASAKI, a young surgeon,
walked along a hospital corridor with a blood
specimen for a Wassermann test.

REVEREND MR. KIYOSHI TANIMOTO, pas-
tor of the Hiroshima Methodist Church, was
about to unload a cart of clothes and goods at a
home in the suburbs.

"A hundred thousand people were killed by the
atomic bomb, and these six were among the sur-
vivors. They still wonder why they lived when so
many others died. . .."